Chien Pourri millionnaire

© 2018, l'école des loisirs,
11, rue de Sèvres, Paris 6ᵉ
Loi n° 49.956 du 16 juillet 1949 sur les publications
destinées à la jeunesse : novembre 2018
Dépôt légal : novembre 2018
Imprimé en France par l'imprimerie Pollina
à Luçon - 86699

ISBN 978-2-211-23943-1

Colas Gutman

Chien Pourri millionnaire

Illustrations de Marc Boutavant

Mouche
l'école des loisirs

Cette fois, ça y est, Chien Pourri
et Chaplapla ont fini par toucher
le fond de leur poubelle. Ils n'ont
plus rien à manger, pas même un
os à moitié rongé ou une croquette
périmée. Les deux amis ont le moral
dans leurs chaussettes trouées. Pour
se consoler, Chien Pourri entonne
une chanson bien connue de tous
les chiens errants du quartier : « Ah si
j'étais riche, je serais moins pauvre. »

— Arrête, Chien Pourri, tu te fais du mal!

— On a bien le droit de rêver, Chaplapla.

Seulement, dans la vie, il y a parfois des chiens qui viennent briser vos rêves.

— Eh, Chien Pourri! Le jour où tu seras riche, les poules auront des dents en or, ricane le basset à petit manteau.

— Même ma frange, elle vous trouve pauvre, se moque le caniche à frange.

— On préfère être pauvres que de vous ressembler! rétorque Chaplapla.

Mais Chien Pourri ne peut s'empêcher de se sentir jaloux comme un pou.

— Ne t'inquiète pas, Chien Pourri, notre richesse est dans notre cœur, dit Chaplapla.

— C'est sûr qu'elle n'est pas dans votre poubelle, s'esclaffe le basset.

— Dites les pourris, ça vous dirait une partie de *Monopourri* ? demande le caniche.

— On n'a même pas de dés, s'excuse Chien Pourri.

— Alors vous ne pourrez jamais sortir de votre case poubelle ! ricane le basset.

« Je ne suis qu'un chien sans su-sucre et sans sou-sous », se dit Chien

Pourri, «jamais je n'arriverai à sortir du caniveau, à moins que…»

— Chaplapla, je vais trouver un travail et devenir millionnaire !

— Ne rêve pas trop, Chien Pourri, même comme serpillière à mi-temps, personne ne voudra de toi.

Et tandis que Chaplapla part pêcher une boîte de thon dans le caniveau, Chien Pourri se reçoit une valise sur la tête.

«Les gens jettent vraiment n'importe quoi», songe-t-il.

— Êtes-vous des gens ? demande-t-il à trois hommes, cachés derrière sa poubelle.

— Oui, mon toutou, nous sommes des Jean : Jean Ney, Jean Navet et Jean Norret. Garde-nous notre valise

et tu auras droit à une récompense,
tu entends?

— Oui, merci monsieur de me
demander si je ne suis pas sourd.

— Mais attention, méfie-toi des
inconnus et des autres gens.

— Êtes-vous des Jean bons? demande Chien Pourri.

Les trois Jean n'ont pas le temps
de lui répondre car une sirène de
police retentit au loin et ils détalent

comme des lapins. Chaplapla, lui, rentre de sa pêche dans le caniveau avec une miette de thon.

— On la partage? propose Chaplapla.

— Je ne mange jamais en travaillant, dit Chien Pourri.

— Sur quoi es-tu assis mon ami?

— Mon travail, pourquoi?

«Pauvre Chien Pourri, il délire», pense Chaplapla.

«Pauvre Chaplapla, il ne sait pas que je vais devenir millionnaire», se dit Chien Pourri.

Mais Chaplapla se méfie des cadeaux tombés du ciel et des valises jetées dans les poubelles.

— As-tu seulement ouvert cette valise, Chien Pourri?

Soudain, Chien Pourri se prend à rêver : peut-être contient-elle des croquettes et des su-sucres ? Chien Pourri tourne autour d'elle comme une mouche autour de lui.

Mais en l'ouvrant, nulle croquette ou su-sucre à l'horizon, seulement des sous, plus précisément une montagne de billets de banque !

« C'est sûrement ma récompense pour garder la valise. Dommage, j'aurais préféré un os à moelle », pense Chien Pourri.

Une riche idée

— Chien Pourri, nous sommes riches! hurle Chaplapla.

— Ah bon? Tu as gagné à la loterie?

— Mais enfin, tu ne vois pas tous ces billets?

— Et alors? Ils ne sont pas en or!

Si Chien Pourri ne comprend rien à rien, Chaplapla, lui, comprend tout:

— Chien Pourri, referme vite cette valise, c'est sûrement de l'argent sale!

— Plus que nous ?

— Oui, si cette valise a atterri dans notre poubelle, c'est que des gens très moches ont voulu s'en débarrasser. Qui te l'a donnée ?

— Jean Navet et d'autres Jean.

— J'en étais sûr : Jean Navet, Jean Ney et Jean Norret sont de terribles gangsters recherchés par la police.

— Il faut rendre l'argent à la pouliche ?

— Non, avec toutes nos empreintes sur la valise, on nous accuserait de complicité et on nous enverrait en prison.

— Et si on prenait juste un petit billet ?

— Non, Chien Pourri. Qui vole un œuf, vole un bœuf et qui vole un bœuf...

« Doit être vachement fort ? », pense Chien Pourri.

Pauvre Chien Pourri, il ne sait pas dans quoi il met les pieds, à part dans le caniveau.

Une idée de riche !

Chien Pourri court dans la rue. Le brave toutou n'a pas résisté à enfouir quelques billets sous ses poils et en perd la moitié en route.

«Sans doute un chien délinquant!», s'indigne une dame. «Si j'étais ses parents, je le mettrais en pension dans un chenil», se scandalise un monsieur. Mais Chien Pourri n'a pas davantage de parents que d'esprit : «Dommage que je ne sois pas un kangourou, j'aurais eu une poche pour cacher mes billets.»

Deux rues et trois caniveaux

AU CHIEN CHICHIC

BISTROT
CANIN

BUFFET À
VOLONTÉ

(Sauf tous les jours
de la semaine et
les week-ends)

plus tard, Chien Pourri et Chaplapla s'arrêtent devant le temple de la gastronomie.

— Viens Chaplapla, je te paie un hot-dog !

— Je suis un chat.

— Tu préfères un Kit-Cat ?

— C'est bien parce que je n'ai pas mangé depuis trois jours…

Mais au *Bistrot Canin*, l'accueil n'a rien de très accueillant.

— Ce n'est pas le jour de ramassage des poubelles, dégagez les ordures ! ordonne le maître d'hôtel.

Chien Pourri tend fébrilement quelques billets.

— Dans ce cas, si ces messieurs veulent bien me suivre, il me reste une table près des toilettes.

Cachés derrière un poteau, deux portemanteaux et trois pots de fleurs, Chien Pourri et Chaplapla ne passent pourtant pas inaperçus.

— Ça ne sentirait pas le chien mouillé ? demande une dame.

— Plutôt les poubelles ! peste un client.

— Ils ne sont même pas tenus en laisse, s'indigne un monsieur.

— Oh, regardez, ils mangent avec leurs pattes ! se scandalise une cliente.

Après avoir englouti 25 friands
à la saucisse, 42 pâtés en croûte et
quelques Kit-Cat, Chien Pourri et
Chaplapla font les comptes.

— Voyons, un sou + une tasse =
une sous-tasse, un sou + une
coupe = une soucoupe, calcule
Chaplapla.

— Un sou + un 6 = une sou-
cisse? demande Chien Pourri.

Le maître d'hôtel les presse de payer et de partir.

— Vous faites peur aux clients.

— On ne fait rien de mal, se défend Chaplapla.

— Oui, mais vous êtes pauvres et ça se voit.

— Beurk ! ajoute une femme.

Pauvres Chien Pourri et Chaplapla, mêmes riches, ils sont exclus comme deux misérables vagabonds. En sortant du restaurant, une petite chienne pouilleuse, bigleuse et qui mâche un chewing-gum fait la manche sur un trottoir. C'est Sanchichi*, l'ancienne amoureuse de Chien Pourri, qui rentre sans un sou de sa tournée américaine :

Elle est à toi cette chanson, toi le chihuahua qui sans façon…

« Cette voix me rappelle quelqu'un, pense Chien Pourri, un caniche, peut-être… ? »

* Voir *Chien Pourri est amoureux.*

Hôtel
bonne nuit
les petits
★★★★★

SPA →

Hauteur
maximale
autorisée
1m30

Hôtel Canichefornie

Le ventre plein et le cœur lourd, Chien Pourri et Chaplapla regagnent leur domicile.

– Chaplapla, je ne veux plus dormir dans une poubelle. Ce soir, je t'invite à l'hôtel !

«Je ferais mieux de surveiller Chien Pourri, pense Chaplapla, j'ai l'impression qu'il va nous entraîner dans de beaux draps.»

Et c'est ainsi que Chien Pourri et

Chaplapla passent leur première nuit dans un établissement étoilé et bas de plafond.

— Tu as vu, il y a une grande poubelle vide au milieu de la salle d'eau.

— C'est une baignoire, Chien Pourri.

— Oh, ça fait peur.

— Atchoum! éternue Chaplapla qui n'est pas habitué à l'air climatisé.

— Tu veux que j'appelle le rhume-service pour qu'il t'apporte un mouchoir?

Mais soudain, devant tout ce luxe, Chien Pourri file se cacher derrière les rideaux.

— J'ai peur Chaplapla.

— De quoi, Chien Pourri?

— De dormir dans un lit.

— Moi aussi, avoue Chaplapla.

Les deux amis font alors appel au room-service pour qu'on leur installe une poubelle au milieu du salon et ils s'endorment à l'intérieur comme lorsqu'ils n'étaient qu'un pauvre chien pourri et un chat aplati.

My caniche is rich

Le lendemain matin, après un tour à la boulangerie du coin, à la poissonnerie d'en face, Chien Pourri et Chaplapla passent à la boutique d'à côté pour s'offrir un manteau en fourrure synthétique et un rouleau anti-poils de chat.

– Chaplapla, regarde, on nous sourit, s'étonne Chien Pourri.

Les passants, plutôt que de leur lancer des boîtes de conserve sur la tête, leur demandent en bégayant :

– Alors le chien-chien, on a perdu sa mé-mère ?

Ou les caressent avec un drôle d'accent :

– Cha ché un beau chat, cha !

– C'est trop bien, je ne veux plus jamais être pauvre, confie Chien Pourri.

– Moi non plus, avoue Chaplapla. Il te reste encore des sous ?

– Ma récompense ? Plein !

Chien Pourri et Chaplapla cèdent à la tentation et pointent leur museau chez Frisouillis.

Frisouillis

Toiletteur pour chiens, coiffeur pour dames, barbes à papas, moustaches pour chats

– Tu crois qu'ils nous laisseront entrer ? tremble Chien Pourri.

– « L'argent ouvre toutes les portes », récite Chaplapa.

Et comme par miracle, une gentille dame les invite à entrer.

– Tu crois qu'ils ont des ongles en or ? demande Chien Pourri.

– Qu'est-ce qu'il a votre copain ? s'étonne la dame.

– Il n'a jamais été riche, il aimerait que ça se voie, explique Chaplapla.

– Tant que vous payez rubis sur l'ongle, ça me va ! répond-elle.

Le basset qui se fait repasser son manteau et le caniche, sa frange, n'en reviennent pas.

– Ça alors, la roue de la poubelle a tourné ! devise le basset.

— C'est grâce à la valise de Jean
Navet, explique Chien Pourri.

— «Jean Navet», un peu de côté,
le coupe Chaplapla de peur qu'il
n'en dise trop.

Si Chaplapla est si prudent, c'est
que sa maman lui a toujours expliqué
de se méfier des caniches et des

inconnus. Pendant que Chien Pourri termine son brushing et Chaplapla son lissage de moustaches, le caniche aborde les questions d'argent.

— Il ne faut pas laisser dormir vos sous, explique-t-il.

— Ah, bon ? Les sous ça fait dodo ? demande Chien Pourri.

— Non, mais ça peut faire des petits, si on s'en occupe bien, explique le caniche.

— Les sous, ça fait des bébés ?!

« Je suis trop jeune pour avoir un enfant, pense Chien Pourri, et puis, comment pourrais-je l'élever dans ma poubelle ? »

— Si tu ne sais pas quoi faire de tes sous, on peut t'aider, copain, propose bassement le basset.

– Ne les écoute pas, ils vont te dépouiller, le met en garde Chaplapla.

– Tu devrais changer de chat, conseille le caniche, celui-ci ne fait pas assez riche.

– Oui, prends un chat de race, ajoute le basset. Un angora, ça tient chaud l'hiver et ça se lave à la main.

« 2 copains – 1 chat, ça fait combien ? » se demande Chien Pourri en se rongeant les ongles en or.

À vot' bon cœur !

À peine Chien Pourri est-il sorti de chez *Frisouillis* que des passants remarquent son nouveau look.

— Ce doit être un chien footballeur, ils sont payés à prix d'or, lance une dame.

— Pourtant, ils passent juste leur temps à courir après une ba-balle, peste un monsieur.

Mais soudain, sur le trottoir, un pigeon s'arrête devant eux.

— Bonjour, Milord, z'auriez pas une p'tite pièce? demande-t-il à Chien Pourri.

— Il t'a pris pour Milou, celui-là? Tintin! lui donne rien, conseille bêtement le basset.

«Je serais chien, si je ne lui donnais rien, pense Chien Pourri, en même temps, si je ne le fais pas, j'en serais toujours un.»

— Tu es un oiseau? demande Chien Pourri.

— Oui.

— Alors si tu veux des sous, tu n'as qu'à voler!

— Ça, c'est envoyé dans les plumes, ricane le basset.

— Eh, le pigeon, tu nous as pris pour des pigeons, ajoute le caniche.

«Pauvre Chien Pourri», pense Chaplapla, l'argent lui fait tourner la tête.»

— Dites, les nouveaux riches, ça vous dirait de sortir en boîte? demande le caniche.

— De pâté? demande Chien Pourri.

«Il ne faut pas que je laisse mon ami entre ces mauvaises pattes», se dit Chaplapla.

La boîte de pâté

Dans la rue, Chien Pourri court vers sa poubelle chercher quelques billets pour la soirée. Mais, sur la valise, un mot ressemble à un avertissement. «Je n'aurais jamais dû quitter ma poubelle… Je suis un mauvais chien de garde… Adieu, travail, adieu ma récompense», se dit Chien Pourri, en se fourrant quatre nouveaux billets dans les oreilles.

Mais pour ce toutou pourri, l'espoir renaît aussi vite que sa bêtise :

« Peut-être que si je garde mieux la valise, les Jean bons, me donneront du saucisson ? »

Chien Pourri file chez l'optichien s'acheter des lunettes noires pour passer incognito.

— Ça ne fait pas trop chien d'aveugle ? demande-t-il au vendeur.

— Non, elles vous vont comme un gant, le félicite l'optichien.

— Ah bon ? Faut que je les porte toujours à la main ? !

Les bras chargés de courses, le voilà qui se retrouve devant la célèbre boîte de nuit *Chez Jeannot*.

— Tout le monde te cherchait, le réprimande Chaplapla.

— Je t'ai pris un collier qui fait « bling-bling » quand on le secoue,

dit Chien Pourri pour se faire par-
donner.

Devant tant de signes extérieurs
de richesse, le videur de chez Jeannot
leur déroule le tapis rouge.

— Chaplapla, et si on achetait le videur ? Il serait notre garde du corps et notre garde-manger.

« Chien Pourri a basculé de l'autre côté de la poubelle, pense Chaplapla, il faut absolument que je le remette du bon côté du couvercle. »

Mais Chien Pourri n'écoute plus son ami qui lui rappelle trop ses jours de galères.

— Détends-toi, Chaplapla et profite du spectacle !

Sur scène, Sanchichi, la petite chienne pouilleuse et bigleuse, chante avec un chewing-gum dans la bouche :

J'ai deux amours mon toutou et Paris…

« C'est bizarre, j'ai l'impression de l'avoir déjà vue quelque part…

Serait-ce sur un trottoir ou dans ma poubelle?» se demande Chien Pourri.

La petite bigleuse, elle aussi, a la berlue:

«Cette odeur de sardine, serait-ce possible? Il ressemble tant à mon bien-aimé. Mais le mien avait les ongles sales...», pense Sanchichi.

Un beau jour, ou peut-être une nuit, près d'un chien, je m'étais endormie, quand soudain, semblant crever le ciel et venu de nulle part surgit un ongle noir, chante-t-elle.

Chien Pourri, lui, est confortablement installé à la table du caniche à frange:

– Dommage qu'elle soit si crasseuse, elle me plaît bien cette petite pouilleuse, soupire-t-il.

Le caniche à frange et le basset ont d'autres relations à lui présenter.

– C'est ma frangine, ne fais pas attention à sa frange, c'est un très bon parti, dit le caniche.

– Ah bon, elle est partie ? demande Chien Pourri.

– Il veut dire qu'elle a plein de pez, explique le basset.

– Elle a des bonbons ? !

« Je préfère nettement la petite bigleuse, mais comment l'inviter à ma table, elle risque de se cogner partout ? » réfléchit Chien Pourri.

Il pense avoir une bonne idée en appelant le videur.

— Pouvez-vous prévenir la chanteuse que j'ai des biftons pour lui payer un bifteck?

Mais la petite chienne pouilleuse chante dans sa direction:

Quand on a que l'argent à offrir en partage…

«C'est dingue, j'ai dû la voir à la radio, se dit Chien Pourri, mais comment est-ce possible?»

Nuit d'ivresse

Chien Pourri prend sa valise au
vestiaire et sort de la boîte. Quelques
cornichons traînent dans la rue.

Chien Pourri, lui, ne marche pas droit, mais ce n'est pas l'alcool qui lui monte à la tête, il est ivre d'argent et de pouvoir.

— Qu'on m'apporte un réverbère, j'ai envie de faire pipi !

— Il a la folie des glandeurs, explique le caniche.

— Des grandeurs, corrige le basset.

— Chaplapla, terminé les poubelles et les hôtels minables ! Nous allons nous offrir une maison avec piscine.

— Je suis un chat, je n'aime pas l'eau.

« Mes amis riches ont raison, je devrais peut-être l'échanger contre un chat de race qui sait nager… un poisson-chat ? », pense Chien Pourri.

CAGES À POULES
CLAPIERS À LAPINS
TROUS DE SOURIS
...
« LE RÊVE À PORTÉE DE CHIEN. »
05 RUE DU PAS DCHIEN, PARIS
TÉL : MAÎTRE TÉL : CHIEN

La petite maison dans la décharge

— Ça a l'air chouette, dit Chien Pourri devant une vitrine.

Deux agents immobiliers l'accueillent à bras ouverts.

— Alors, le chien, on cherche sa nouvelle niche ? demande le premier.

— On a une occasion en or, insiste le second.

— Je paye comptant ! dit Chien Pourri.

— Heureux de l'apprendre, disent-ils en chœur.

Une immense demeure avec tout le confort pour un chien moderne surplombe une colline et domine une décharge.

— J'ai fait venir une litière de diamants et des réverbères en or. Ça ne fait pas trop ancien pauvre, Chaplapla ?

— Ce n'est pas ce qui m'inquiète le plus. Tu changes, mon ami.

— Et alors ? « Il n'y a que les imbéciles qui ne changent pas d'amis ».

Chien Pourri n'a pas lésiné à la dépense : piscine à balle, niche à os, laisses en argent, herbes à chat.

Aidé de son garde du corps, Chien Pourri installe des clôtures barbelées autour de sa maison.

— Tu comprends, Chaplapla, nous

sommes des moutons et, eux, ce sont
les loups qui essaient de nous voler nos
sou-sous pour acheter des su-sucres!

   — Les loups veulent des su-sucres?

   — Oui, enfin, je me comprends.

Chien Pourri tourne en rond,
rarement Chaplapla ne l'avait vu si
contrarié.

— Essaie de te détendre, tu devrais inviter des amis.

— Tu as raison, nous allons pendre la crémière ! se réjouit Chien Pourri.

— Tu veux dire la crémaillère ?

— Ah, c'est comme ça qu'elle s'appelle ?

Les deux amis dressent la liste des invités : Hector le pigeon, Dédé le rat, Jean-Coin le canard, Moustacha le chat, Sophie la girafe et… la petite pouilleuse.

— Qui est-ce ? demande Chaplapla.

— Quelqu'un, enfin, personne. Je ne connais même pas l'adresse de sa poubelle.

— Chien Pourri, tu me caches quelque chose !

— Oh, l'autre…

«J'espère qu'en revoyant ses véritables amis, Chien Pourri redeviendra lui-même», soupire Chaplapla. «Pourvu qu'il n'y ait pas trop de pauvres à ma fête», redoute Chien Pourri.

La fête à nonos

La soirée est un succès, les vieux amis ont répondu présent, ainsi que tous les petits rats du quartier et de l'Opéra.

Sur une estrade, Sanchichi chante un air bien connu.

L'argent pourrit les gens, tout le temps, tout le temps, dans l'insouciance générale…

« C'est étrange, elle ressemble à l'autre, mais elle avait une robe rouge et maintenant, elle est verte, se dit Chien Pourri, ce n'est donc pas l'autre.»

— Elle te plaît? demande Cha-plapla.

— Oh, l'autre… dit Chien Pourri.

«Dommage qu'il soit si vulgaire, il est bien de loin, mais loin d'être bien», pense Sanchichi.

— Mes amis, déclare Chien Pourri, inutile de tourner en rond, il est temps de tourner la page et de profiter des profiteroles!

— Vous le connaissez? demande Sanchichi qui fait une pause chewing-gum.

— Disons plutôt qu'on le connais-sait, répondent une bande de rats.

— Il n'est plus vraiment le même, dit un pigeon.

– Il est différent, ajoute un moineau.

– Il n'est pas pareil, répète un perroquet.

« A-t-il changé à ce point ? » songe Sanchichi.

« Mais pourquoi ne vient-elle pas ? » se demande Chien Pourri. Mais si l'amour rend aveugle, la petite bigleuse se remet à chanter.

La mer qu'on voit danser le long des golfes clairs a des reflets d'argent.

– Quelle voix en or! se réjouit Chien Pourri.

– Or, argent: ils m'agacent avec tout leur pognon, commentent des pigeons.

– Vos gueules, les mouettes, c'est poubelle-basse! crie le basset.

– Qu'est-ce qu'il a? demande un rat.

– C'est la voix de son maître, chuchote un moineau.

Le basset et le caniche assurent le service:

– Caviar pour tout le monde! Champagne pour personne, disent-ils.

– Pouah, c'est hyper salé, râle un pigeon.

— Les petits fours sont servis, annonce le basset.

— Vous n'auriez pas plutôt un petit frigo pour ma poubelle ? demande un rat.

« Il est temps que je change d'amis », pense Chien Pourri.

— Allez, tout le monde dehors ! La fête est finie ! s'écrie-t-il.

— De toute façon, on y allait, on n'aime ni les snobs, ni les petits canapés, disent les rats.

— On préfère les fauteuils, râlent les pigeons.

Et c'est ainsi que les pigeons qui dansaient sur la danse des canards, les canards qui s'amusaient au tir à la poule et les chiens qui chassaient le lièvre et la tortue, repartent chez eux avec amertume.

« Il était plus gentil quand il vivait dans sa poubelle », regrette une souris.

— Il n'a plus une miette de gentillesse, soupire un moineau.

— Nous, on peut rester pour ranger, propose le caniche à frange.

— Merci les copains, vous êtes de vrais amis.

Chaplapla, lui, est inquiet : « Si Jean Navet s'aperçoit que Chien Pourri dépense tout, il va l'écraser comme une patate, purée ! »

Pour se consoler, Chien Pourri

effectue un nouveau calcul : « un sou + un rire = un sourire ? »

Et c'est justement ce qui lui manque. Chien Pourri, ce joyeux compagnon, n'a plus rien d'un gai luron. Dans la nuit, quand tout son personnel dort, Chien Pourri vient trouver son ami de toujours.

– J'ai peur, Chaplapla.

– De quoi, Chien Pourri ?

– De devenir pourri avec tout cet argent.

– Je crois que tu l'es déjà, mon ami.

«Mais tout n'est pas perdu, il faut que Chien Pourri revoie sa poubelle, pense Chaplapla, les odeurs de son enfance le remettront sur pattes.»

La toutou-mobile

Chien Pourri grimpe dans son automobile de luxe et retrouve son quartier, suivi comme un chien par le basset et le caniche à frange.

«Oh, les pauvres, pense tristement Chien Pourri. Comment faire pour les aider?»

Mais les animaux sans foyer n'ont que faire de sa compassion.

– Retourne dans ton palais, Chien Pourri, lance Dédé le rat. On ne veut plus de toi, ici!

— Chaplapla, tu les entends ?

— C'est que tu es méprisant avec tout ton argent.

— Ah oui ? Eh bien, va rejoindre ta poubelle si elle te manque tant ! Que quelqu'un me rappelle de ne plus jamais penser à ce chat !

— Ne pensez plus jamais à ce chat, dit le caniche.

— Merci ma frange !

« Un sou + une scie = des soucis ? », compte Chien Pourri.

— Vous devriez vous rendre populaire, maître, conseille le basset.

— Faites un don à un pauvre, suggère le caniche, c'est très bien vu.

« Ils ont raison, mais qui choisir ? Les Pigeons orphelins, la Croix-Verte, Médecins sans thermomètre,

les Clowns tristes ? se demande Chien
Pourri. Si je donne mon argent à un
pauvre, je risque de le redevenir à
nouveau… j'ai trouvé, je n'ai qu'à
me le donner à moi-même ! »

Et c'est ainsi que Chien Pourri
se fait photographier au milieu des
déchets se distribuant à lui-même
une liasse de billets, un chat angora
lui servant d'écharpe et de nouveau
chat.

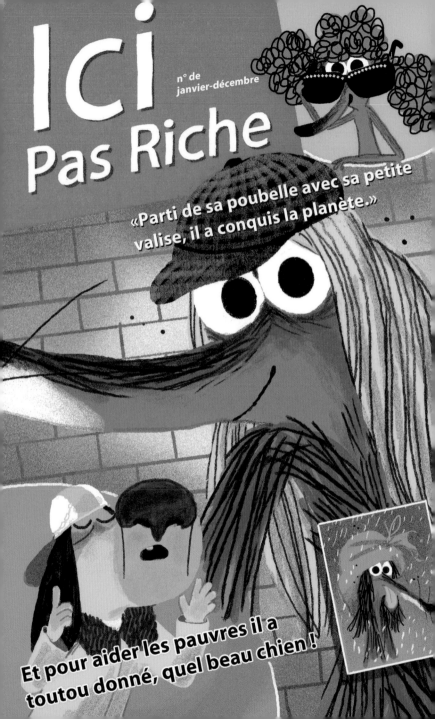

Ici Pas Riche

— C'est archi-faux! s'étrangle Chaplapla.

— Ça ne peut pas être lui, dit Sanchichi qui louche sur la photo de Chien Pourri.

Cette fois, c'en est trop, Chaplapla convoque tous les animaux du quartier pour manifester devant les fenêtres de son ancien ami.

— Chien Pourri, t'es foutu, les pigeons sont dans la rue!

«Ce ne sont pas quelques plumes qui vont me faire peur», pense Chien Pourri.

Mais du haut de son palais, il aperçoit Chaplapla, accompagné de la petite pouilleuse qui chante :

Ah ça ira, ça ira, les aristochats à la poubelle, ah ça ira, ça ira, les aristochiens on les pendra !

— C'est donc vrai, ils me détestent, dit Chien Pourri.

— Mais non, ils sont jaloux, le rassure le caniche.

— Ils vous aiment, mais ils ne le savent pas, soutient le basset.

— Laissez-moi seul, je sais ce qu'il me reste à faire.

La pouliche aux œufs d'or

« Je vais rendre l'argent à la pouliche, se dit Chien Pourri sur la route du commissariat. Avec mes empreintes sur la valise, je finirai peut-être ma vie en prison, mais tant pis, puisque personne ne m'aime. »

COMMISSARIAT de POULICHE
(Prière de laisser vos poulains dehors)

— C'est ma faute, tout est de ma faute, dit Chien Pourri à l'agent de pouliche.

— Allons mon chien, du calme ! Chef, il y a encore un richard qui se fait passer pour un clochard !

— Vous ne comprenez pas, dans cette valise, il y avait ma récompense, mais j'ai presque tout dépensé et j'ai trahi les miens, je ne suis qu'un égoïste, un misérable !

— Mais bien sûr, mon toutou, on a fait un gros cauchemar dans sa ni-niche, on a rêvé qu'on était très pauvre ? Dis à ton papa de t'acheter un costume d'agent de police et ne vient pas nous embêter, ou tu finiras comme ceux-là…

Dans une cage à poules, des gens

se cachent derrière la petite chienne pouilleuse et bigleuse.

— Nom d'un chien, c'est lui! Il va tout faire rater, râle Jean Norret.

— S'il nous reconnaît, les carottes sont cuites, prévient Jean Navet.

Sanchichi, elle, chante un air bien connu des commissariats de pouliche :

Les portes du pénitencier, bientôt vont se refermer... et c'est là que je finirai ma vie...

— Qu'est-ce qu'elle a fait? demande Chien Pourri.

— Elle a jeté son chewing-gum sur la voie publique, c'est interdit.

— On va en prison pour ça?

— Non, mais comme elle n'avait nulle part où dormir, on lui a offert une place derrière les barreaux.

«La pauvre, il traite cette chienne comme un chien», songe Chien Pourri.

— Le richard, si vous voulez payer sa caution pour la libérer, libre à vous! dit l'agent de pouliche.

«Au moins, j'aurai fait une bonne action dans ma vie», pense Chien

Pourri en sortant quelques billets de la valise.

« Où est mon bienfaiteur ? », demande Sanchichi, qui se cogne contre un barreau et reprend un chewing-gum.

– Je suis là, dit Chien Pourri.

Mais soudain, il louche sur une liste de noms épinglée au mur.

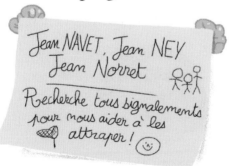

– Je les connais ! dit Chien Pourri.

– Mais bien sûr. Alors on veut jouer au chien policier maintenant ? demande l'agent de pouliche.

— Je vous jure. Jean Ney a un gros bouton sur le front, Jean Norret va bientôt en avoir un et Jean Navet avait un poireau sur le nez !

— Attendez chef, il a peut-être raison. La petite pouilleuse, poussez-vous que je voie tous ces «Jean» derrière vous.

— Ça alors, on vient de les arrêter : ils rôdaient autour d'une banque, dit l'agent de pouliche.

— C'est parce qu'on en veut toujours plus, explique Jean Norret.

— Tais-toi, idiot ! dit Jean Ney.

— C'est facile pour toi, t'en as toujours, dit Jean Navet.

Chien Pourri rend la valise et reçoit en échange la médaille de la pouliche.

— Allez circulez, les amoureux, ce n'est pas un endroit pour vous ! dit l'agent de pouliche.

« Les amoureux, oh, l'autre », pense Chien Pourri.

« Même pas vrai », pense la petite bigleuse.

Une fin en or

Devant le commissariat, le caniche et le basset, fidèles au poste, attendent leur maître.

— Votre carrosse est arrivé, annonce le caniche.

— Je n'ai même plus de quoi me payer un taxi, dit Chien Pourri.

— Je te l'avais dit, c'est un *loser*, dit le basset.

— J'ai toujours vu qu'il n'avait pas une frange de *winner*, confirme le caniche.

Heureusement, la petite bigleuse reste attachée à Chien Pourri comme un fil à la patte. Mais devant eux, un pigeon leur barre la route.

— Dites, les z'amoureux, z'auriez pas une petite pièce pour un pizon?

«Le pauvre, il doit avoir froid, je devrais plutôt lui donner mon manteau… mais alors, elle me verra tel que je suis… un moins que rien», pense Chien Pourri.

«Pauvre petit oiseau, il doit avoir faim, je devrais lui offrir un chewing-gum, mais sans dents, comment fera-t-il pour mâcher?» se demande Sanchichi.

Chien Pourri prend son courage à quatre pattes et offre son manteau en fourrure synthétique au pigeon.

— Il risque d'être un peu grand mais il rétrécit au lavage, prévient-il.

— Merci, z'êtes des z'amours, complimente le pigeon.

Les deux tourtereaux marchent dans la rue sous le regard des passants, moqueurs.

Heureusement, dans la vie d'un chien pourri, il y a parfois des miracles qui vous tendent la patte.

«Oh, il me reste une pièce coincée derrière l'oreille», se réjouit Chien Pourri.

Et, au coin d'une rue, un vendeur de billets de loterie attend son premier client de la journée. Chien Pourri échange sa dernière pièce contre un jeu à gratter et gratte ses puces et les bons numéros : le 4, le 8 et le 27 !

«Misère! Heureux au jeu, malheureux en amour», s'inquiète Chien Pourri.

— Zut! mon chewing-gum n'a plus de goût, dit la petite pouilleuse.

— Au moins, je peux t'offrir un paquet, dit Chien Pourri.

— Garde tes sous pour une meilleure cause, répond la petite bigleuse, qui jette son chewing-gum.

C'est alors que Chien Pourri la reconnaît enfin:

— Sanchichi, c'était donc toi! hallucine-t-il. Je ne t'avais pas reconnue avec ton chewing-gum!

— Oui, je sais, ça me déforme la mâchoire. Mais, alors, si c'est moi… c'est donc toi, Chien Pourri?!

Sous les yeux attendris des passants, les deux amoureux, qui ne s'étaient pas revus depuis la tournée américaine de Sanchichi, se retrouvent.

— Je mâchais trop de chewing-gums à Hollywood. Personne ne comprenait quand je chantais et j'ai dû interrompre ma tournée. Mais grâce à toi, Chien Pourri, je vais arrêter, reprendre les bonbons et les tournées !

— Et moi, je vais offrir un repas et un refuge à tous les animaux du quartier, dit Chien Pourri, en brandissant son billet de loterie.

Et c'est sous les hourras et les hip, hip pourris que Chien Pourri retrouve ses vrais amis.

— Je croyais t'avoir perdu pour de bon, dit Chaplapla.

— Ben, non, j'étais dans une grande maison, rappelle-toi !

Devant leur poubelle, Chaplapla a hissé une pancarte :

Poubelle de riches,
merci de ne pas déposer vos ordures !

— Toi aussi tu as gagné à la loterie, Chaplapla ?!

— Non, c'est juste une blague, Chien Pourri, parce que la vraie richesse est à l'intérieur de soi.

— Ah bon ? On a de l'argent à l'intérieur de notre corps ? Mais alors : je suis peut-être un distributeur de billets automatique ?

— Cette fois, c'est sûr, je t'ai retrouvé ! dit Chaplapla.

Du même auteur à *l'école des loisirs*

Collection MOUCHE

Rex, ma tortue
Roi comme papa
Les chaussettes de l'archiduchesse
Les aventures de Pinpin l'extraterrestre
Je ne sais pas dessiner
La vie avant moi
L'enfant
La princesse aux petits doigts
Histoire pour endormir ses parents

avec Marc Boutavant

Chien Pourri !
Joyeux Noël, Chien Pourri !
Chien Pourri à la plage
Chien Pourri à l'école
Chien Pourri à Paris
Chien Pourri est amoureux
Chien Pourri à la ferme
Joyeux anniversaire, Chien Pourri !
Chien Pourri fait du ski
Chien Pourri et sa bande